Pour Marie-Lou et Thomas.
Merci Alex.

Csil

書名：找找尋
副題：視藝迷宮大挑戰

原著書名：CHERCH & TROUV
作者 / 繪畫：CSIL

出版：亮光文化有限公司

主編：林慶儀
編輯：亮光文化編輯部

印次：第一版
首刷日期：2023 年 11 月

定價：港幣＄100 / 新台幣＄420
ISBN：978-988-8820-71-9

國家圖書館出版品預行編目（CIP）資料

找找尋：視藝迷宮大挑戰 / CSIL作.繪畫.
-- 第一版. -- [臺北市]：香港商亮光文化有限公司台灣分公司, 2023.11
--面；公分--

譯自：Cherch & Trouv
ISBN 978-626-97879-0-6(精裝)

997　　112017036

台灣地區出版代理：香港商亮光文化有限公司台灣分公司
ISBN：978-626-97879-0-6

CSIL

CHERCH & TROUV

找找尋

視藝迷宮大挑戰

作者 / 繪畫：CSIL

出版：亮光文化有限公司

授權：Editions Casterman S.A.

INTRODUCTION

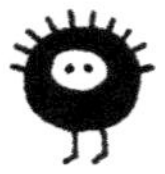

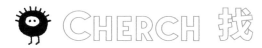

Cherch 找

不想你找到

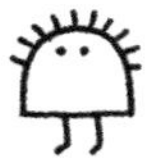

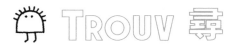

Trouv 尋

不讓你尋見

找Cherch 與尋Trouv 這兩個視藝小精靈，

惟有你全神貫注地看進去，每一幅迷宮將你帶進不同的視覺藝術世界裡。

真的少一點專注力也不行。

來吧！來一場專注力／觀察力／視覺藝術大挑戰。

在18個視藝迷宮世界裡，
用眼睛把找與尋找出來。

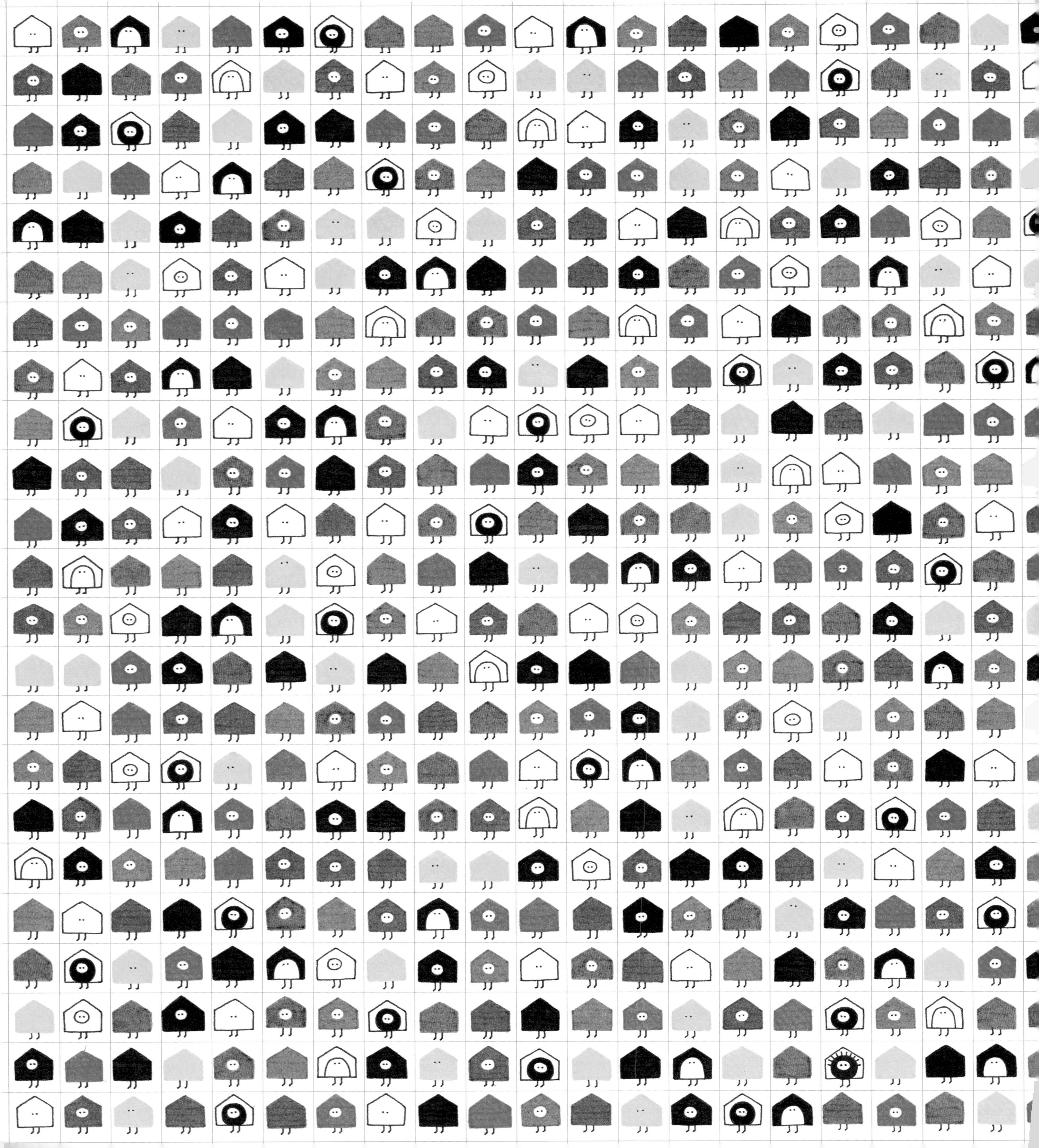

9

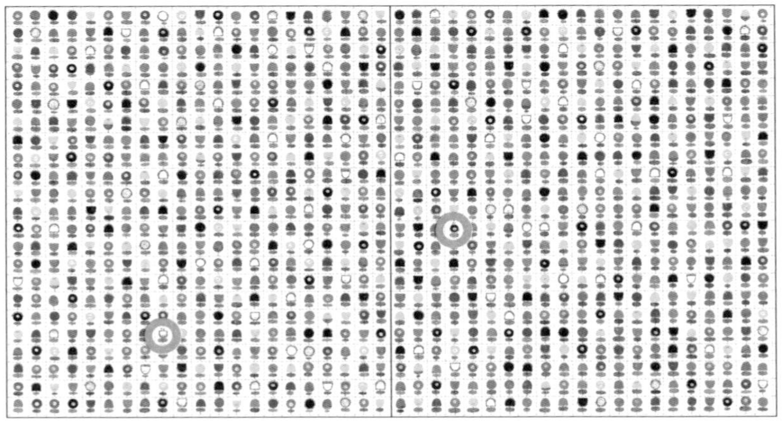

10

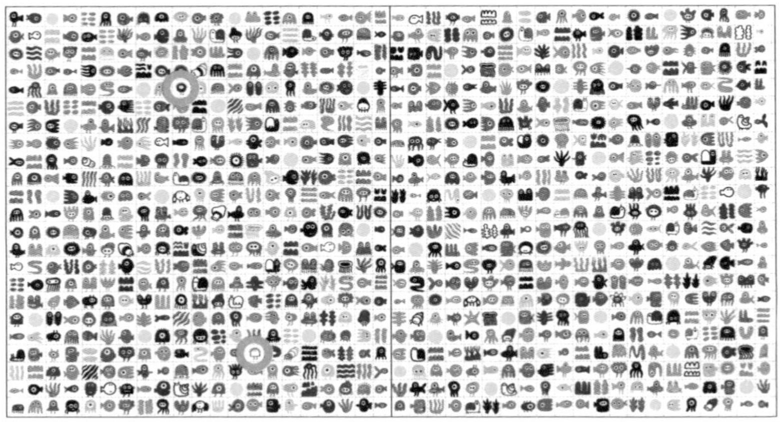

11

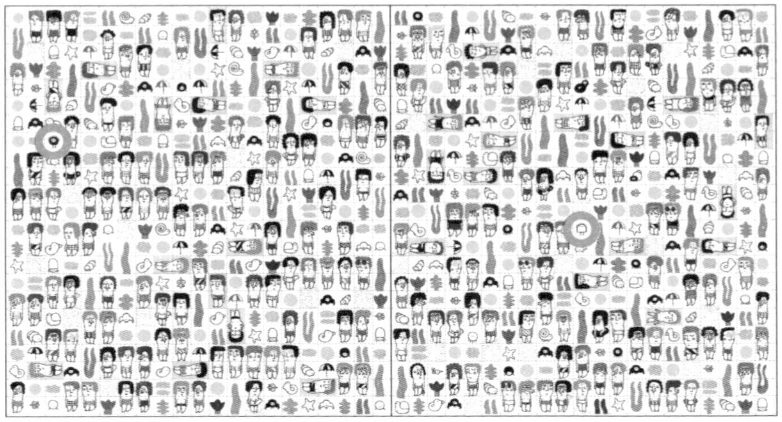

12

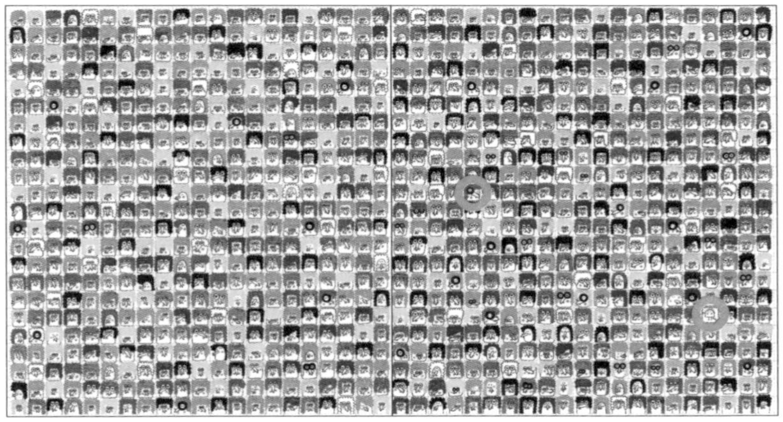

13

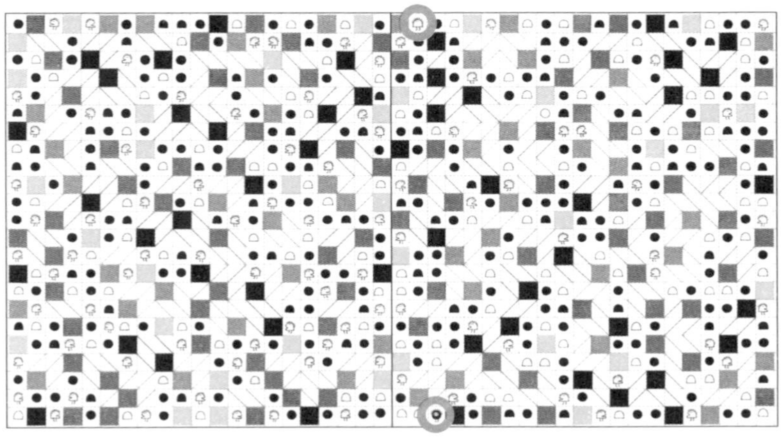

14

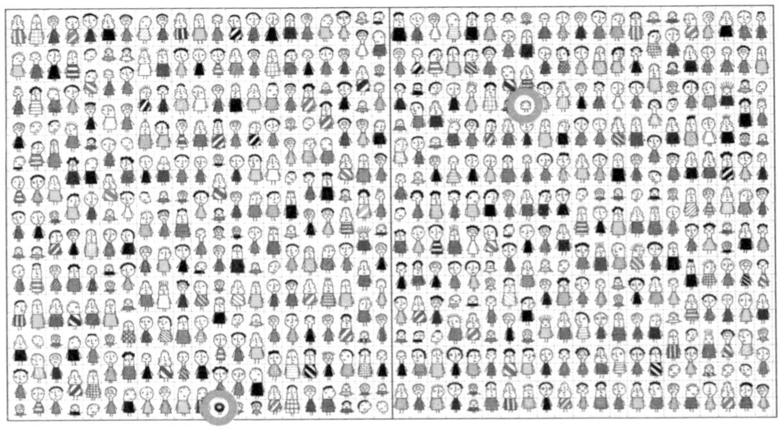

15

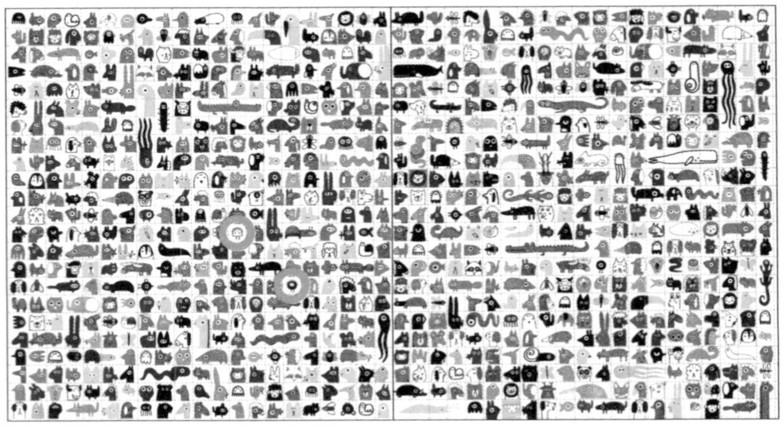

16

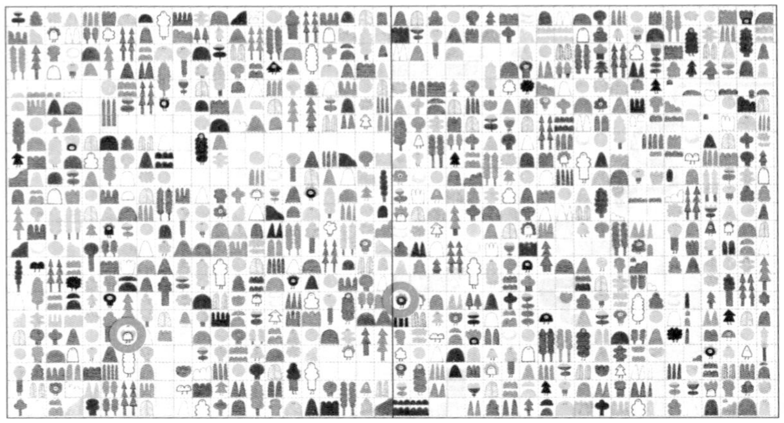

17

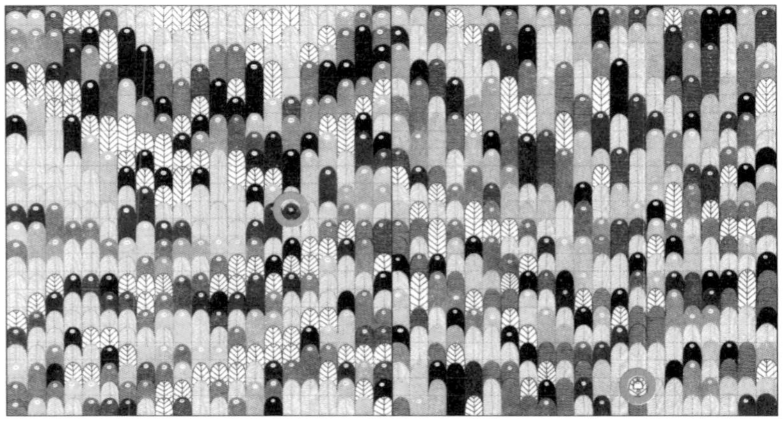

18

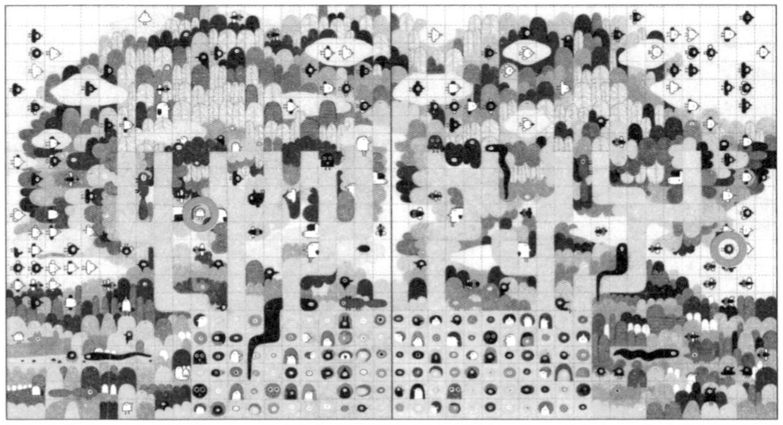

現形記

1

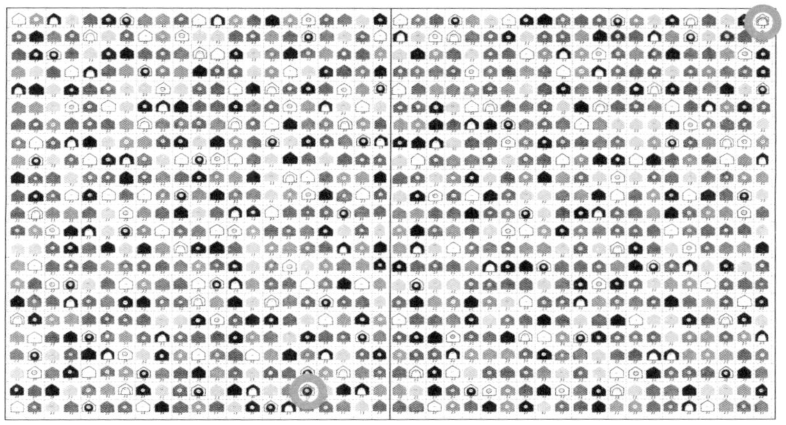

2

3

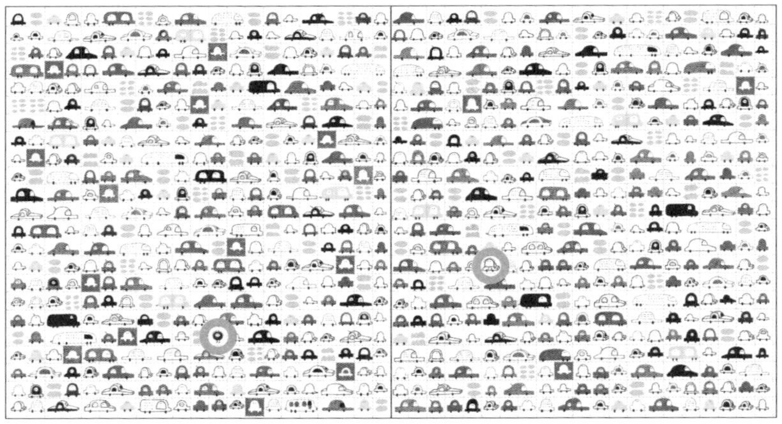

4

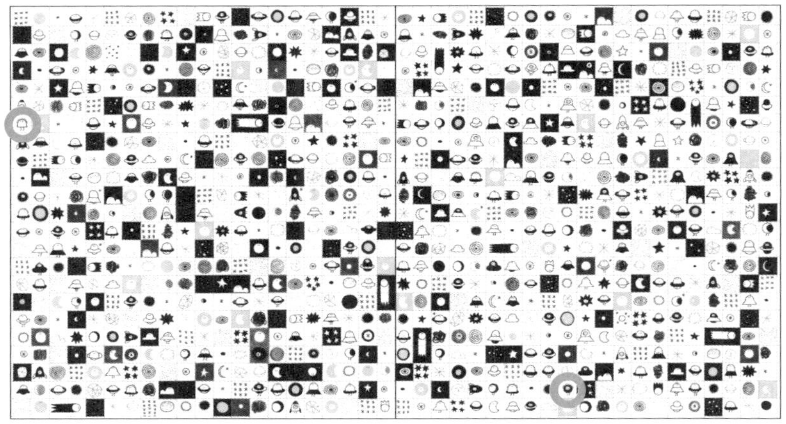

5

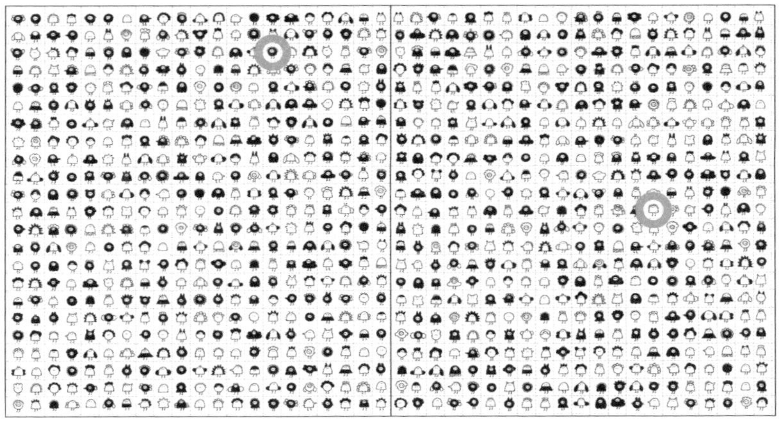

6

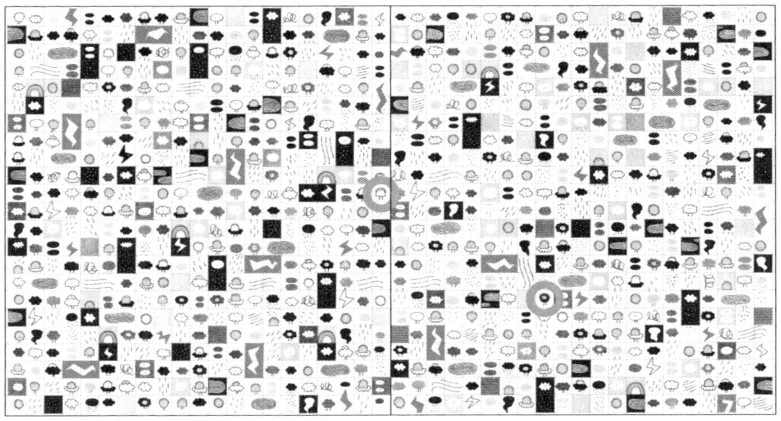

7

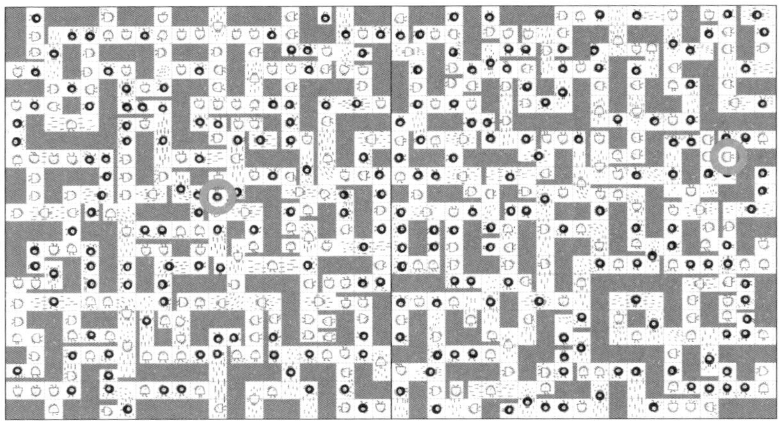

8

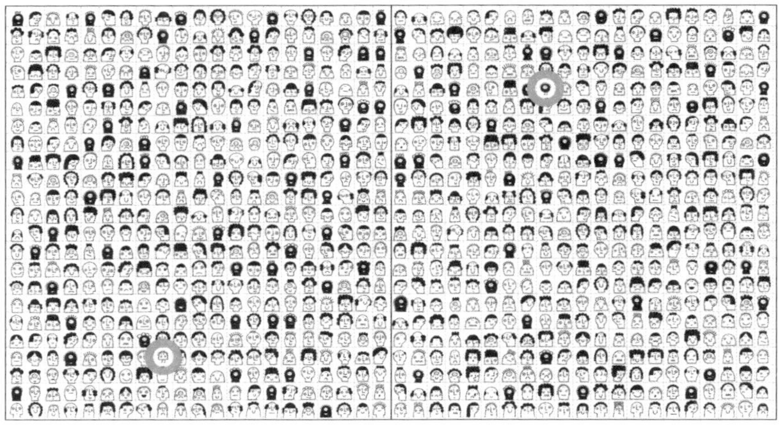

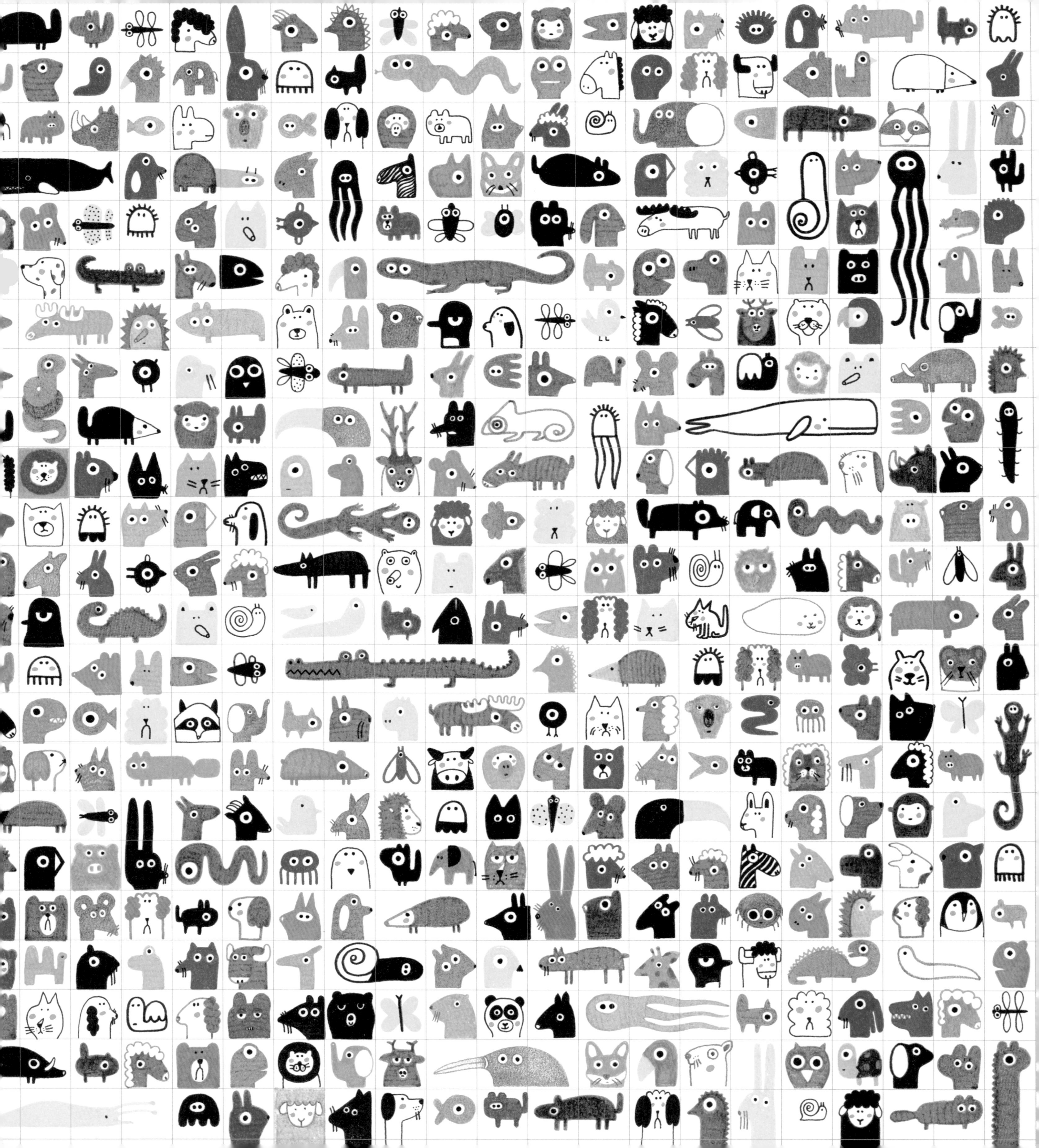

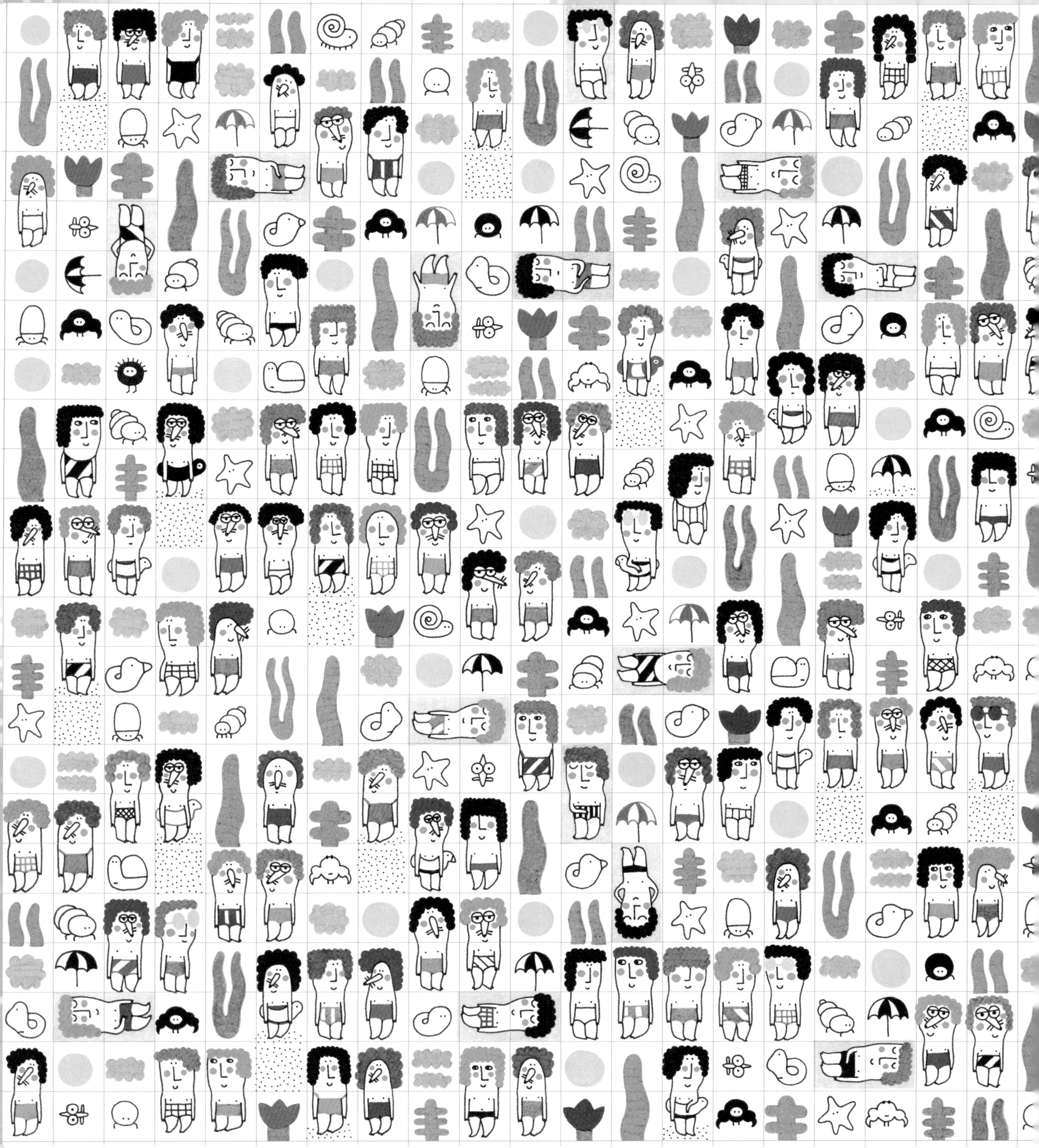

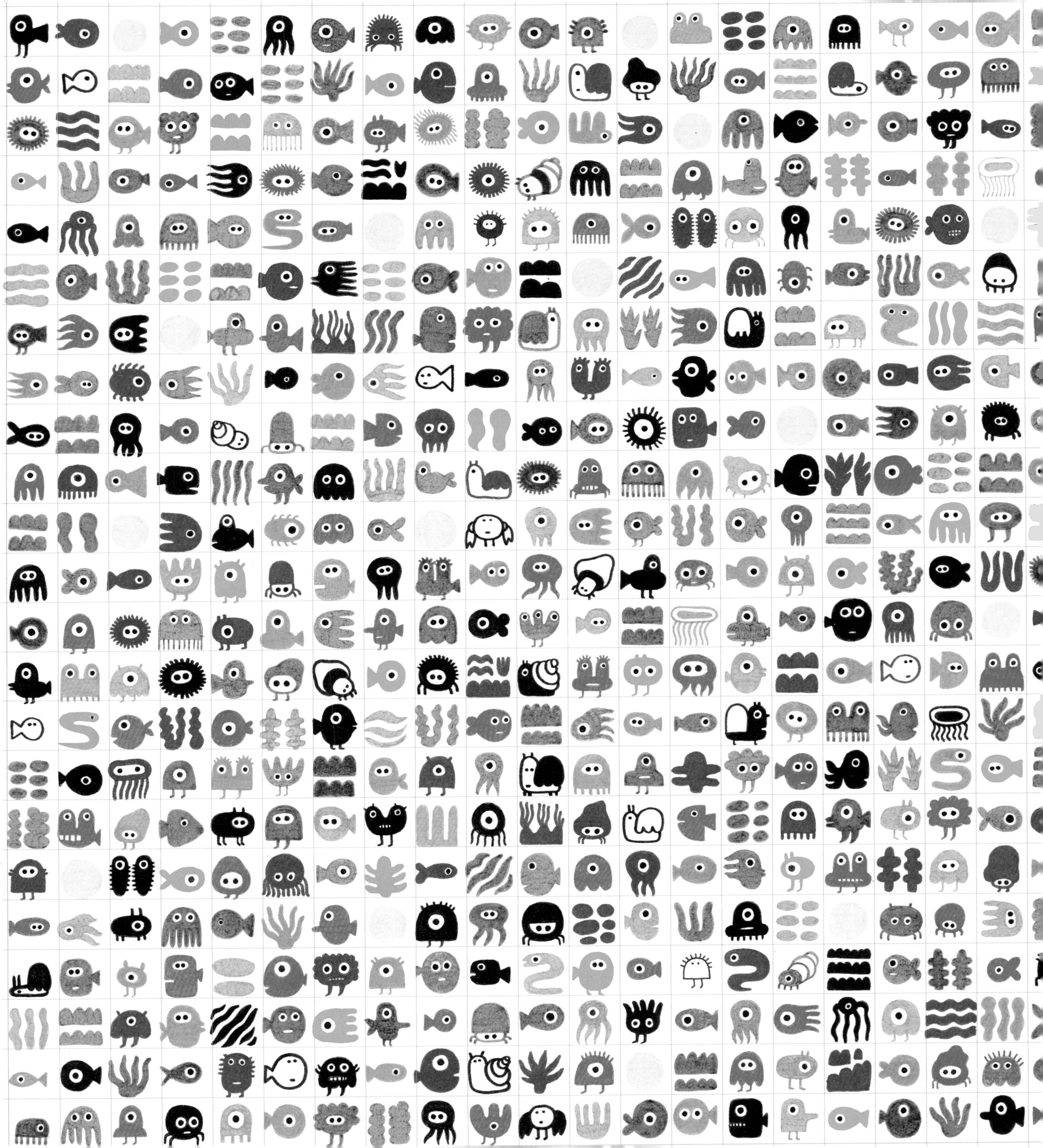

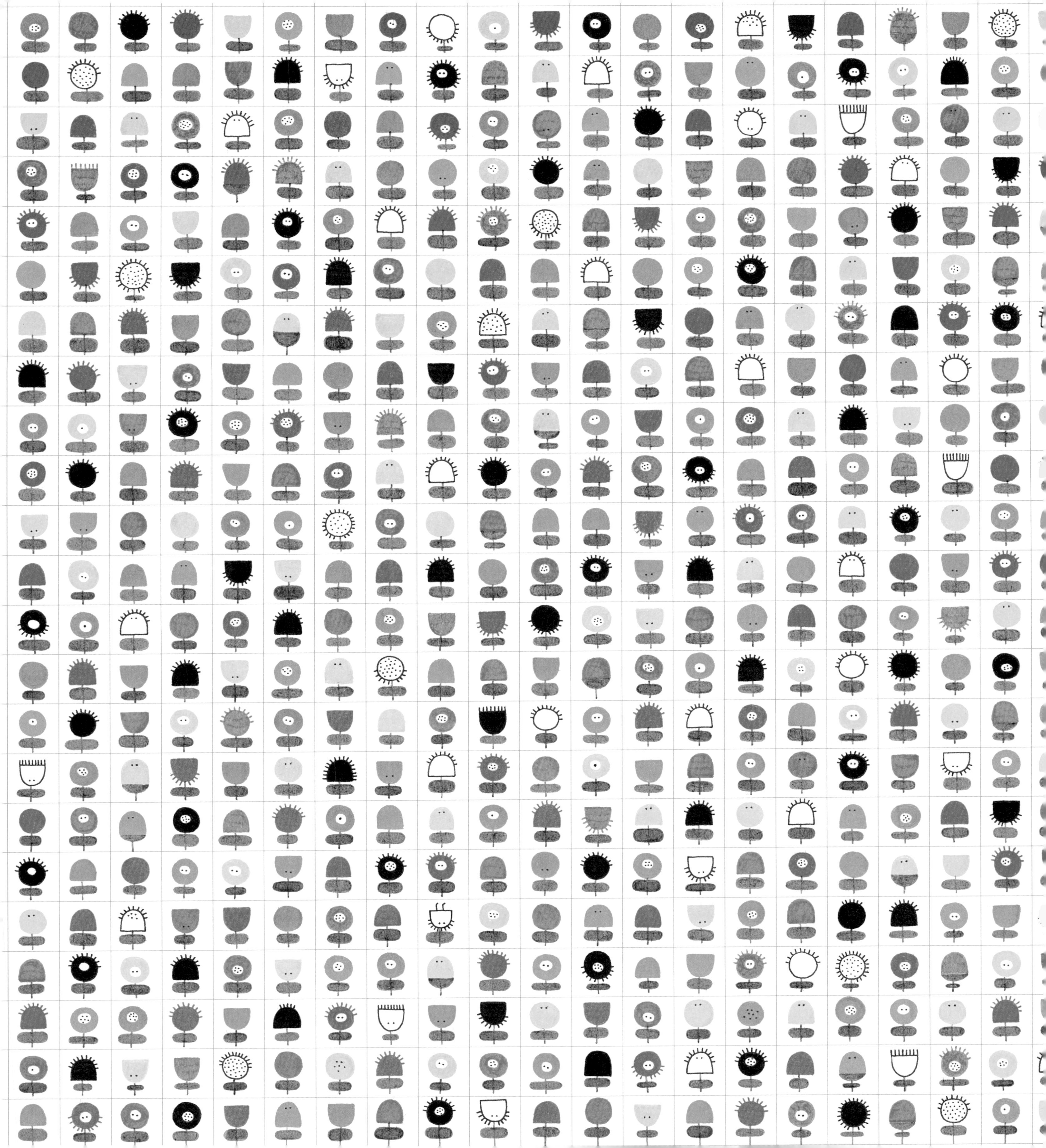

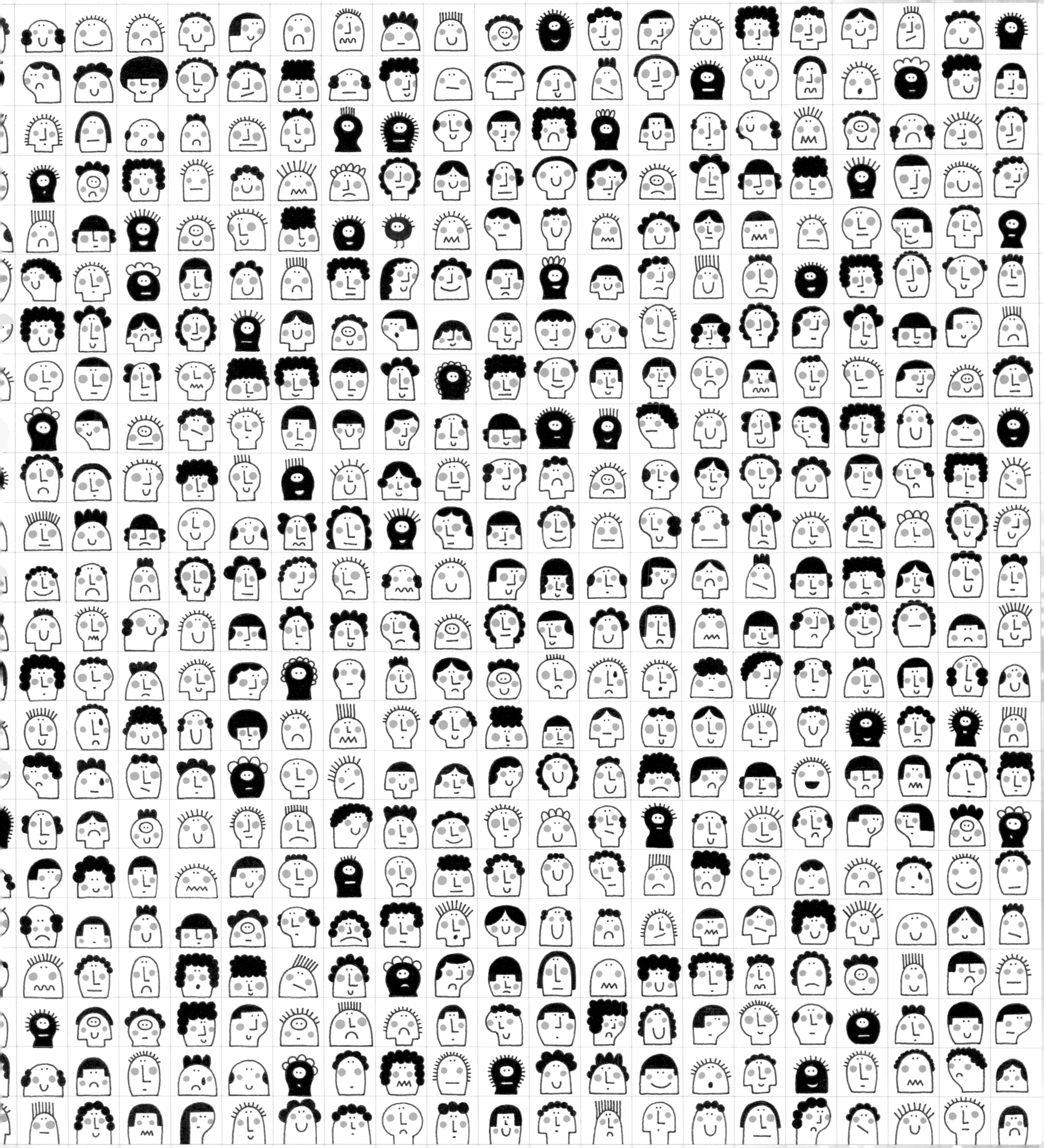

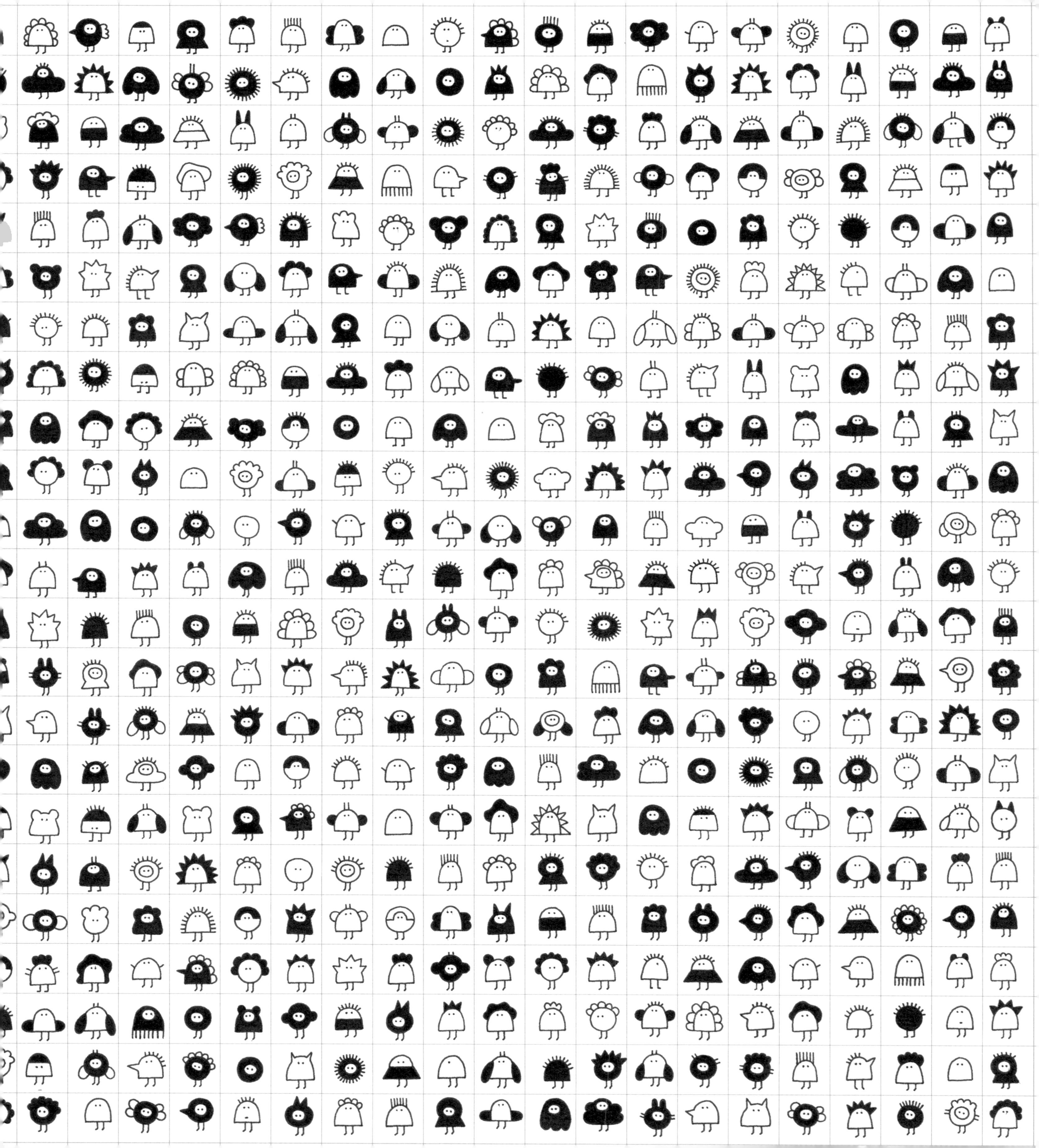

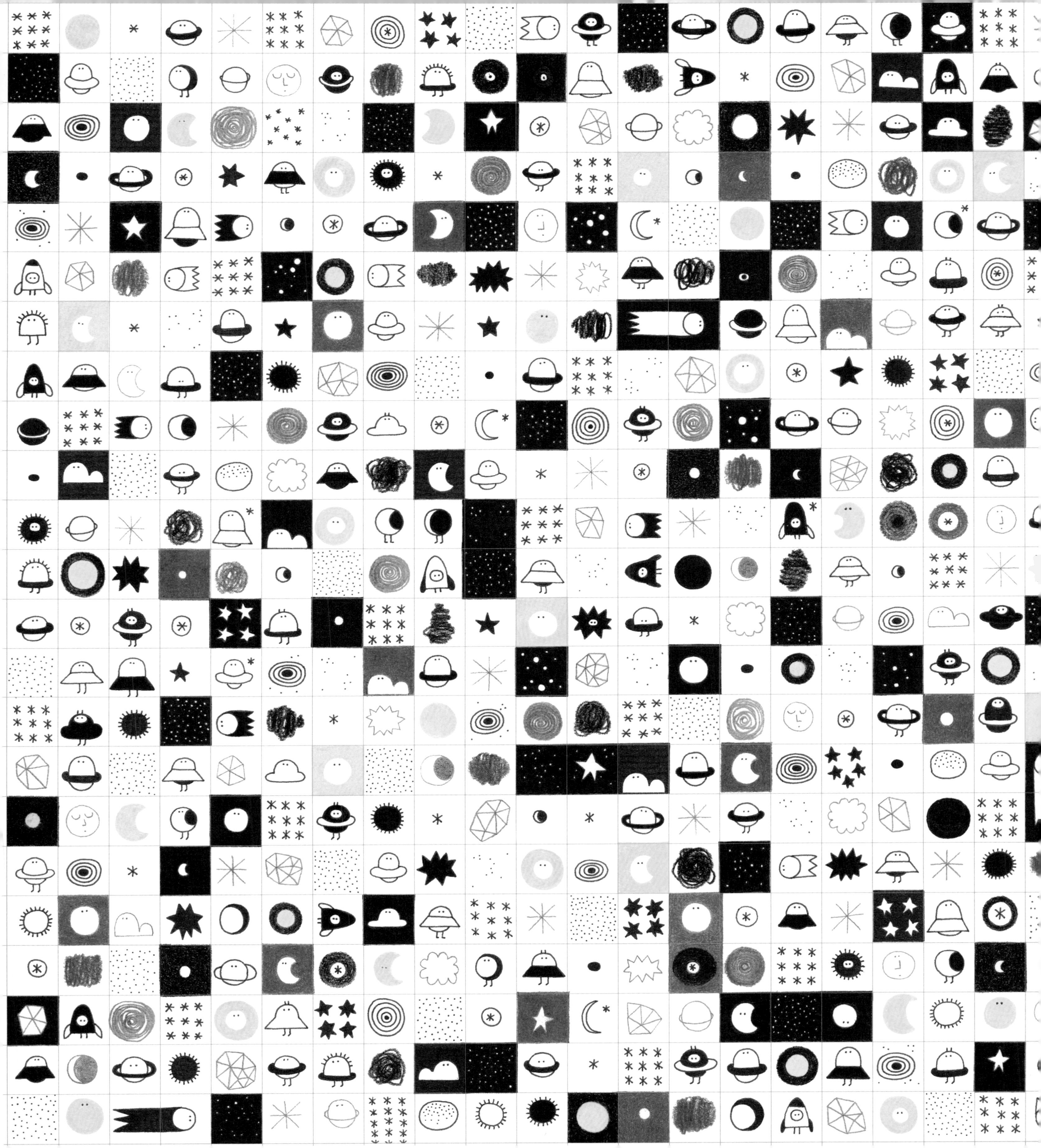